KB152033

대한심폐소생협회

기본소생술 강사

Korea Basic Life Support Instructor (KBLS-I)

First Edition

기본소생술 강사

첫째판 1쇄 인쇄 | 2022년 3월 15일
첫째판 1쇄 발행 | 2022년 3월 25일
첫째판 2쇄 발행 | 2022년 8월 19일

지 은 이 대한심폐소생협회 BLS 위원회
발 행 인 장주연
출판기획 최준호
편집디자인 조원배
표지디자인 김재욱
일러스트 이다솜
발 행 처 군자출판사(주)
등록 제4-139호(1991. 6. 24)
본사(10881) **파주출판단지** 경기도 파주시 회동길 338(서패동 474-1)
전화(031) 943-1888 팩스(031) 955-9545
홈페이지 | www.koonja.co.kr

ISBN 979-11-5955-861-0
정가 12,000원

대한심폐소생협회

기본소생술 강사

Korea Basic Life Support Instructor (KBLS-I)

First Edition

집필진

(가나다 순)

대표저자 **대한심폐소생협회**

김재범 계명의대 계명대학교 동산병원 흉부외과

송소현 대구보건대학교 간호학과

이동건 서울의대 분당서울대학교병원 응급의학과

이명렬 경동대학교 응급구조학과

장용수 한림의대 강남성심병원 응급의학과

조영석 한림의대 강동성심병원 응급의학과

인사말

심폐소생술 교육은 교육생으로 하여금 목격자 심폐소생술의 시행 의지를 높이며, 나아가 시행되는 목격자 심폐소생술의 질을 높임으로써 생존율 향상에 기여할 수 있다. 이에 대한심폐소생협회는 2005년부터 보건의료인 대상의 수준 높은 기본소생술 교육 및 기본소생술 강사 교육을 시행해 오고 있으며, 체계적인 강사 및 교육생 관리시스템을 적용하여 질관리를 시행하고 있다. 2018년부터는 국내 보건의료 환경에 부합되는 대한심폐소생협회 기본소생술 교육과정(Korean BLS course)이 개발되어 매년 약 9,300여 명의 보건의료인을 대상으로 실시되고 있다. 대한심폐소생협회의 기본소생술 교육과정은 병원 밖 심장정지 상황과 함께 의료기관 내에서 발생되는 심장정지 상황을 함께 고려하고 있으며, 국내 의료기관의 현실에 발맞추어 프로그램이 구성되어 있기 때문에 향후 국내 보건의료인 기본소생술 교육의 표준이 될 것으로 기대된다.

2022년부터는 대한심폐소생협회 기본소생술 강사과정(Korean BLS Instructor course)이 개설되어 정기적으로 시행될 예정으로 향후 대한심폐소생협회 기본소생술 교육의 확대와 질관리에 큰 역할을 할 것이다. 이 교재는 해당 강사과정을 위해 제작되었으며, 대한심폐소생협회 기본소생술 교육강사가 알아야 할 핵심 교육내용뿐만 아니라 교육과정 계획 및 준비, 교육과정 지도, 교육 동영상의 활용과 강사의 역할, 평가 및 feedback/디브리핑 시행방법, 교육 보고 방법, 기타 강사의 역할 등을 함께 포함하고 있다.

대한심폐소생협회 기본소생술 교육과정 교재를 발간함에 있어 수고해 주신 모든 집필진께 감사의 말씀을 드리며, 향후 이 교재가 대한심폐소생협회 기본소생술 강사 교육과정의 충실한 시행과 확대에 실질적인 도움이 되기를 기대한다.

대한심폐소생협회 BLS 위원장 조 규 종

목차

Chapter 5 기본소생술 강의계획서 41

Chapter 6 강사의 역할 57

기본개념

기본소생술 강사

1

CHAPTER

1. 강사의 역할

대한심폐소생협회는 목표는 심폐소생술을 보급하여 심장마비로 인한 희생을 줄이는 것이다. 이러한 목표를 위하여 심폐소생술 교육을 널리 보급하고 심폐소생술을 시행하도록 만드는 것이 중요하다. 대한심폐소생협회 강사는 심폐소생술 교육을 시행하면서 다음과 같은 역할을 해야 한다.

- ▶ 대한심폐소생협회의 최신 심폐소생술 지침을 준수하고 교육
- ▶ 고품질 심폐소생술을 교육
- ▶ 교육생이 주요 개념을 이해하고 학습할 수 있도록 feedback 제공
- ▶ 교육생의 행동을 관찰하고 필요에 따른 조언
- ▶ 긍정적이고 건설적인 feedback 제공
- ▶ 교육 시간을 최대한 활용하여 최적의 학습 결과를 도출하도록 교육
- ▶ 실습 후 체계적인 결과 보고를 통한 교육생 관리

2. 최신 연구 및 교육 내용 확인

1) 대한심폐소생협회는 중요한 최신 지견이 결정되거나 교육의 지침을 변경할 경우, 대한심폐소생협회 홈페이지에 이러한 내용을 공지하고 자료를 제공한다. 강사는 이러한 최신 지견이나 변경사항을 확인해야 한다.
2) 대한심폐소생협회에서는 심폐소생술의 최신자료를 홈페이지의 자료실에 제공하고 있다.
   "대한심폐소생협회 홈페이지 → 자료실 → CPR 관련 자료"

3) 대한심폐소생협회에서는 강사들에게만 제공하기 위하여 홈페이지 instructor network에 강사들만 접근할 수 있는 게시판을 운영하고 있으며, 이곳에 강사들이 확인해야 할 변경 사항과 자료를 제공 중이다.

"대한심폐소생협회 홈페이지 → Instructor Network → KACPR 강사 커뮤니티"

3. 교육 과정 계획 및 자료 검토

1) 강사는 교육을 위하여 교육생 매뉴얼과 강사 매뉴얼 및 한국심폐소생술 지침을 자세히 읽고 검토해야 한다. 또한 기본소생술에 사용되는 강사 매뉴얼의 강의 계획서, 동영상, 준비 문서, 필기 시험지, 보고서 양식 등을 확인하고 검토해야 한다.

2) 교육 과정 계획

심폐소생술 교육을 진행하기 위하여 교육과정 계획을 설립해야 한다. 교육과정 계획의 준비는 'Chapter 5. 기본소생술 강의 계획서' 부분에 자세히 설명되어 있다. 강의 계획을 통하여 교육 대상을 설정하고, 참여할 강사를 선발하며, 교육에 필요한 장비와 장소를 준비해야 한다. 강의의 개설과 강의의 공지 방법도 정해야 한다. 사전에 준비해야 하는 교육 문서를 점검하는 것도 강의 계획에 포함된다.

3) 교육 과정 공지

대한심폐소생협회는 교육 과정을 준비하고 공지할 수 있도록 홈페이지에 교육 공지 기능을 제공한다. 강사는 이 공지를 이용하여 교육생의 과정 신청, 참여자 관리, 교육 후 보고를 할 수 있다.

4) 금연

대한심폐소생협회의 모든 교육은 금연을 원칙으로 한다. 교육이 시작되고, 모든 교육이 종료될 때까지는 중간 휴식시간에도 금연해야 한다.

5) 교육 장비

대한심폐소생협회는 기본소생술 교육을 위해서 사전 승인된 교육 장비를 이용하여 교육해야 한다. 사전 승인된 교육 장비는 기본소생술 Training Site를 신청할 때 제출한 문서에 기재된 장비들을 의미한다. 교육장비는 적절한 학생과 장비 비율을 지켜야 한다.

6) 교육 과정 이수증

대한심폐소생협회의 교육을 마치고 규정된 실기 시험과 필기 시험을 합격한 교육생은 대한심폐소생협회 홈페이지에서 이수증을 받을 수 있고, 강사는 교육 과정에 이것을 알려줘야 한다.

4. 소생술 교육에서 중요 개념

1) 고품질 심폐소생술의 중요성

가슴압박과 인공호흡을 시행하는 고품질 심폐소생술은 심장정지 환자의 소생에서 가장 중요한 요소이다. 약물 투여와 제세동이 포함되는 전문소생술을 시행하더라도, 고품질 심폐소생술이 시행되는 기본 소생술이 바탕이 되지 않는다면 소생의 기회는 낮아지게 된다.

병원밖 심장정지와 병원내 심장정지에서 심폐소생술은 시작이 늦어지거나 적절하게 시행되지 못하는 경우가 많다. 심폐소생술 교육에 관한 연구 결과에서도 심폐소생술 술기 능력은 시간이 지날수록 감소하고, 술기 능력을 유지하기가 어렵다고 알려져 있다. 심폐소생술 교육에서 적절한 feedback 장치로 교육의 성과를 올리는 것이 심폐소생술 술기 유지에도 도움이 될 수 있다.

고품질 심폐소생술의 구성 요소는 다음과 같다.

- ▶ 가슴압박은 강하고(압박 깊이 5-6 cm) 빠르게(압박 속도 분당 100 – 120회) 누르기
- ▶ 가슴압박 후 완전한 가슴이완
- ▶ 가슴압박 중단의 최소화(10초 이내)
- ▶ 과도한 인공호흡을 하지 않기 위하여 가슴이 상승하는 정도만 1초에 걸쳐 인공호흡 불기

2) Feedback과 디브리핑

심폐소생술 교육에서 술기를 정확하게 훈련하기 위하여 강사는 실습 교육 중에 적절한 feedback을 해야 한다. feedback은 긍정적이고 구체적이며 건설적으로 시행해야 한다. 강사는 긍정적인 feedback을 통하여 교육생의 자신감을 높여주어야 한다.

강사는 교육적 효과를 좀 더 올리기 위해 학생 자신에게 술기 과정을 디브리핑하여 스스로 교정하도록 유도해야 한다. 디브리핑은 술기

과정에 대하여 학생 스스로 되짚어서 술기의 과정을 분석하고 요약하여, 교육생의 술기를 스스로 개선하도록 촉진한다.

5. 교육 과정 평가

교육과정의 효과를 올리기 위하여 술기 평가와 필기 평가를 시행한다. 술기 평가를 위하여 많은 연습시간을 제공하고, 필기 평가를 위하여 사전 학습을 유도해야 한다.

1) 술기 평가

학생은 술기의 모든 과정을 완전하게 수행해야 하고, 정확한 동작을 수행할 수 있어야 한다. 술기 평가 중에는 강사의 실시간 지도나 개입 없이, 학생 스스로 술기를 시행해야 한다. 술기 중에 잘못된 것은 모든 술기 평가를 마친 후에 교정하고 재시험을 시행해야 한다.

2) 필기 평가

필기 평가의 공정성을 위하여, 사전에 강사들은 평가 환경을 정리하고 시험을 시행한다. 필기 평가는 정해진 기준 점수 이상의 점수를 획득해야 한다. 필기 평가 시험지는 공개되지 않도록 교육기관에서 관리해야 한다. 필기 평과 후 교육생의 필기 평가 점수는 학생에게 공개하지 않고 합격과 불합격만 통보한다.

3) 재교육

술기 평가와 필기 평가에서 정해진 기준을 통과하지 못한다면 학생에게 심폐소생술을 익힐 수 있도록 재교육 기회를 제공해야 한다. 재교육 효과를 증대시키기 위하여 학생에게 재교육의 필요성, 술기 평가에서 수행하지 못한 술기내용, 필기 평가에서 이해하고 있지 못한 이론적인 내용을 충분히 설명해야 한다. 이러한 설명을 통하여 다음 재시험에서 좀 더 나은 교육 성과가 나오도록 유도해야 한다.

6. 교육 과정 종료 후

1) 프로그램 평가

각 교육생에게 수업 평가 기회를 제공하고, 모든 교육생이 교육과정을 마칠 때 평가서를 작성한다. 과정 후 교육생들의 feedback을 검토한 다음 작성된 평가서를 보관해야 한다.

2) 의료제공자 교육과정 수료증 발급

교육과정 요건을 성공적으로 완료한 각 교육생에게 발급한다.

7. 의료제공자 갱신

1) 갱신 기한

대한심폐소생협회 기본소생술 교육과정 수료증은 현재 2년 단위로 갱신하도록 권장된다. 술기 유지 및 교육에 관한 연구를 통해 밝혀진 내용은 다음과 같다.

- 기본소생술 지식 및 기술은 첫 번째 교육을 받은 후 빠른 속도로 퇴보함.
- 기본소생술 술기는 첫 번째 교육을 받은 후 수 개월 내에 퇴보함.
- 간단한 교육 세션을 자주 받을수록 가슴압박 수행 능력이 개선되고 제세동을 더욱 신속하게 실시하게 됨.
- 추가 교육을 받거나 자주 교육을 받은 사람은 심폐소생술에 대한 자신감과 적극성이 더 높음.

8. 강사 교육

1) 강사의 모집 및 교육

강사 교육과정에 참석하려면 기본소생술 과정을 이수해야 한다.

2) 강사 카드 수령

모든 강사 카드는 2년간 유효하다.

3) 신규 강사는 강사 교육의 강의실 교육을 이수한 후 6개월 이내에 강사로서 첫 번째 교육과정을 지도할 때 평가를 받아야 한다.

4) 강사 갱신 기준은 기본소생술 강사로 활동하면서 2년간 4회 기본소생술 과정에 참여해야 한다. 또한 지침이 바뀌는 경우 협회에서 진행하는 보수교육을 이수해야 한다.

교육과정 준비

기본소생술 강사

2

CHAPTER

1. 기본소생술 교육의 개요

1) 교육 목표

기본소생술 교육의 목표는 심장정지 환자의 생명을 구할 수 있도록 심폐소생술을 교육생들에게 훈련시키는 것이다. 이 교육을 통하여 교육생들은 심장정지 상황을 신속 · 정확하게 인식하고 고품질의 심폐소생술을 시행할 수 있어야 한다.

2) 학습 목표

기본소생술의 학습 목표는 다음과 같다.

- ▶ 고품질의 심폐소생술을 이해하고 시행할 수 있다.
- ▶ 생존사슬의 단계를 이해하고 기본소생술을 생존사슬에 적용할 수 있다.
- ▶ 심폐소생술이 필요한 경우를 인지한다.
- ▶ 성인, 소아, 영아에게 심폐소생술을 실시할 수 있다.
- ▶ 자동제세동기를 신속하고 올바르게 적용할 수 있다.
- ▶ 병원내 수동제세동기의 사용을 이해한다.
- ▶ 성인, 소아, 영아의 이물질에 의한 기도폐쇄 응급처치법을 수행할 수 있다.

3) 교육 대상

대한심폐소생협회의 기본소생술 교육대상은 '보건의료인(한국보건의료인 국가시험원 직종 25종) 및 학부생'으로 한다.

4) 기본소생술 강사

대한심폐소생협회 기본소생술 강사는 대한심폐소생술 강사 과정을 수료하고 유효한 자격증을 가지고 있어야 한다.

5) 강사-교육생 비율

기본소생술의 강사는 1명의 강사가 최대 6명의 교육생을 교육할 수 있다. 강사는 마네킹 1대로 최대 3명의 교육생을 교육할 수 있으며 효과적인 교육을 위해서 마네킹:학생 비율을 1:3 보다 1:2를 권장한다. 또한, 강사 1인이 제대로 모니터링 할 수 있는 마네킹 수는 최대 3대임을 감안하여, 교육에 너무 많은 마네킹을 사용하지 않도록 주의해야 한다.

술기 평가시에는 강사:교육생 비율이 1:10이 되도록 한다.

2. 교육 과정 계획 및 보충 자료

1) 사전 공지

기본소생술 교육의 사전 공지는 대한심폐소생협회 홈페이지에 게시한다. 필요한 경우 근무처의 홈페이지나 다른 방법을 이용할 수도 있다.

사전 공지에는 다음과 같은 내용을 포함해야 한다.

- ▶ 교육일시
- ▶ 교육 시작시각
- ▶ 교육 소요시간
- ▶ 교육장소
- ▶ 교육대상
- ▶ 교육비용
- ▶ 교재 준비 관련 사항
- ▶ 문의처

2) 강의실과 장비

기본소생술 교육 과정을 위하여 다음과 같은 시설을 이용할 수 있어야 한다.

- ▶ 깨끗하고 쾌적한 환경
- ▶ 동영상 파일 재생을 조작할 수 있는 장비
- ▶ 우수한 음향시설
- ▶ 동영상 재생 시 조절이 가능한 밝은 조명시설(권장사항)
- ▶ 모든 교육생이 볼 수 있는 크기의 모니터 또는 스크린
- ▶ 전체 교육생과 강사가 앉을 수 있는 의자
- ▶ 필기 시험을 위한 책상
- ▶ 성인용과 영아용 마네킹
- ▶ 자동제세동기(AED)와 백마스크(BVM)
- ▶ 매트리스
- ▶ 보호장비(라텍스 장갑과 안면 보호구(face shield))
- ▶ 수동제세동기(권장 사항)

3) 강의실 구성 예시

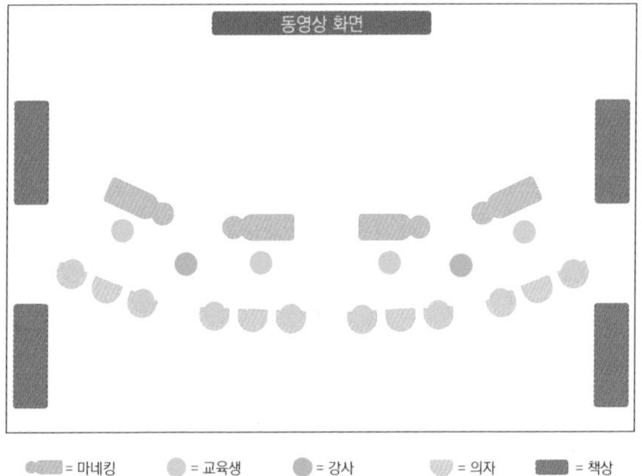

= 마네킹 = 교육생 = 강사 = 의자 = 책상

3. 준비 문서

교육을 위하여 다음과 같은 문서를 관리해야 한다.

- ▶ 교육생 명단
- ▶ 참석자 서명지
- ▶ 교육생 인적 사항
- ▶ 술기 평가지
- ▶ 필기 시험지와 답안지
- ▶ 교육과정 평가지

4. 강사 준비물

1) 필수 준비 사항

강사들은 다음과 같은 준비물을 사용해야 한다.

- ▶ 강사 티셔츠와 유효한 기본소생술 강사증
- ▶ 초시계
- ▶ 교육 동영상

2) 권장 준비 사항

강사들은 참고 자료로 다음과 같은 것을 준비할 것을 권장한다.

- ▶ 기본소생술 강사 매뉴얼
- ▶ 기본소생술 제공자 매뉴얼
- ▶ 한국심폐소생술 지침

교육과정 지도

기본소생술 강사

3

CHAPTER

1. 강사자료

1) 다양한 상황의 보건의료인 교육

- 대한심폐소생협회 기본소생술 과정은 병원밖 및 병원내 환경에서 환자를 돌보는 보건의료인를 위해 마련된 것으로 강사 지도하에 강의실에서 이루어지는 이론 및 실습 교육에 적용된다.
- 동영상 기반의 대한심폐소생협회 기본소생술 과정에서는 시나리오를 바탕으로 병원밖 구조자에게 응급상황에서의 대처 방법과 술기를 보여주고 병원내 구조자들이 팀을 이루어 소생술을 하는 과정을 보여주고 있다.
- 강사는 강사 매뉴얼, 강의 계획서, 교육생 매뉴얼 등을 참고하여 교육하고 평가해야 하며 제2장 "교육과정 준비" 및 제4장 "평가"에서 각 교육자료의 사용방법을 자세히 설명한다.

2) 아이콘의 이해

강사 매뉴얼, 강의 계획서, 동영상에서 사용되는 아이콘은 강사가 교육과정 중에 어떤 행동을 취해야 하는지를 알려주기 위한 것으로 내용은 다음과 같다.

아이콘	행동
주목하세요	교육생 주목, 동영상 재생
실습 준비	교육생 실습 준비, 마네킹 앞에 위치
따라 하세요	동영상 보고 따라하기 실습
	자막 보고 따라 읽기

	교육생 교대
	조별실습

3) 강의 계획서의 이해

대한심폐소생협회 기본소생술 강사 매뉴얼에는 강의 계획서가 포함되어 있다(Chapter 5). 강의 계획서의 목적은 다음과 같다.

- 대한심폐소생협회 기본소생술 과정의 원활한 진행
- 교육 과정의 일관성 유지
- 강의의 핵심 목표에 집중
- 과정 중 강사의 책임 설명

4) 강의 계획서의 활용

강의 계획서는 교육 시작 전, 교육과정 중, 술기 실습 중에 사용한다.

교육 시작 전:

강의 계획서를 검토하여 다음 내용을 이해한다.

- 강의의 목표
- 강의에 제시된 강사의 역할
- 강의에 필요한 장비

특별히 강조하거나 추가할 내용을 미리 기록해 둔다.

교육 과정 중:

- 강의 계획서에 따라 교육과정을 진행한다.
- 교육생들이 동영상으로 시청한 내용을 정리한다.
- 강의에 필요한 자료, 장비, 소모품이 모두 준비되었는지 확인한다.

- 교육생들이 학습 목표를 달성할 수 있도록 지원한다.

술기 평가 전의 실습 중:

교육생이 기본소생술에 대해 질문이 있을 때 강의 계획서를 이용하여 가장 적절한 답안을 제공할 수 있다.

5) 동영상을 이용한 지도

기본소생술 과정은 강의실에서 시행하는 동영상 기반의 교육으로, 대부분의 강의가 동영상 시청으로 이루어진다. 또한 교육생들이 직접 동영상을 보고 따라하는 술기 실습 과정이 포함되어 있다. 교육의 일관성을 유지하고 교육생들이 최신의 과학적 근거를 배울 수 있도록 반드시 교육과정에 포함된 동영상을 보여주어야 한다.

6) 동영상 보면서 실습하기

동영상 보고 따라하기 방법은 기본소생술 과정의 핵심 교육 방법이다. 이를 통해 교육생은 짧은 시간 내에 효과적으로 정확한 술기를 습득할 수 있다.

동영상 보고 따라하기 방법은 다음 형식에 따라 체계적으로 시행할 수 있다.

- 교육생들에게 학습할 내용 미리 알려주기
- 동영상 보기
- 따라하며 실습하기
- 술기에 대한 feedback
- 학습 내용 요약

강사는 올바른 술기를 보여주는 도구로 동영상을 이용한다. 동영상 내용을 따라가면서 교육생들이 실습할 수 있도록 충분한 시간을 준다. 교육생들의 술기 실습을 면밀히 관찰하고 교육적인 feedback을 제공한다. 필요하다면 교육생들이 동영상 없이 각자 연습할 시간을 추가로 부여할 수도 있다.

7) 교육생 매뉴얼 활용

모든 교육생은 교육 시작 전, 교육 과정 중, 교육 과정 후 사용할 수 있도록 최신 버전의 대한심폐소생협회 기본소생술 과정 교육생 매뉴얼을 가지고 있어야 한다.

교육생 매뉴얼은 다음과 같은 목적으로 활용될 수 있다.

- 과정 참석 전 예습
- 필기 시험에 대비한 공부
- 과정 후 지식 유지

교육생 매뉴얼의 내용은 동영상과 일치하도록 구성되어 있다. 강의 계획서는 교육생 매뉴얼의 어떤 섹션에 어떤 내용이 있는지 설명하고 있다.

교육생 매뉴얼은 개인용으로 제작되었으며 과정의 필수요소이다. 교육생들은 새로운 과학적 지침이 발표되어 매뉴얼이 갱신되거나 업데이트되기 전까지 이 매뉴얼을 활용할 수 있다.

2. 교육과정 개요 및 프로그램

대한심폐소생협회 기본소생술 과정 프로그램

- 전체 교육시간: 5시간
- 강사-교육생 비율 1:6, 마네킹-교육생 비율 1:2 또는 1:3

아래에 설명된 소요시간은 예상 시간이며 상황에 따라 달라질 수 있음.

강의 내용	소요시간(분)
한국형 기본소생술 과정 안내, 강사와 학생 소개	10
Pretest 풀이	10
심장정지 환자 발생시 응급처치 - 병원밖 상황 심폐소생술이란?	10
성인 심폐소생술	
심장정지 확인 및 신고-병원밖/병원내 신속한 심폐소생술 가슴압박 인공호흡 가슴압박과 인공호흡 전체과정 실습 - 병원내	50
휴식	10
인공호흡 장비 포켓마스크 백마스크 사용법-한손기법 백마스크 사용법-양손기법	15
제세동 자동제세동기 수동제세동기 병원내 팀 소생술 전문기도기	40
휴식	10
소아와 영아 심폐소생술	
소아 심장정지 환자 발생시 응급처치	5
영아 심장정지 환자 발생시 응급처치 1인 구조자 2인 구조자	30
기도폐쇄	
이물질에 의한 기도폐쇄 성인 영아	10

강의 내용	소요시간(분)
과정 정리	
생존사슬(Chain of survival)	10
휴식	10
실기 시험 – 성인 심폐소생술, 영아 심폐소생술	40
필기 시험	30
과정 정리와 Q&A	10

평가

기본소생술 강사

CHAPTER

1. 교육과정 수료를 위한 평가

- 평가는 교육생에게 학습동기를 유발하고 심폐소생술에 대한 자신감을 높일 수 있는 교육방법의 하나이다.
- 강사는 평가 절차와 기준을 정확하게 인식하여 엄격하게 적용한다면 교육생의 자신감을 높여줄 수 있다.
- 단순히 교육생의 합격과 불합격을 판정하는 것이 아니라 교육생이 교육목표에 달성할 수 있도록 하는 것이다.

1) 합격 기준

- 아래 합격기준을 모두 충족하여야 한다.

항목	원칙
교육 시간	전체 교육 시간의 90% 이상 참석
필기 평가	**25문제 중 84% 이상(21점 이상 득점)**
술기 평가	성인 및 영아 기본소생술 모두 합격

2) 평가 시점

- 교육생 평가는 강의 계획서에 의거하여 실시한다.

술기 평가	교육과정 중 또는 교육과정 마칠 때 실시
필기 평가	술기 평가 후 교육과정 마칠 때 실시

2. 술기 평가

강사는 술기평가표의 모든 술기 항목을 정확하게 숙지하고 있어야 하며 교육생들의 심폐소생술 능력을 정확하고 공정하게 평가해야 한다.

1) 술기평가표의 활용

- 평가하려고 하는 술기평가표를 확인하고 교육생 이름과 평가 일자를 기록한다.
- 교육생이 술기를 실시하는 동안 작성한다.
- 심장정지 상황에 대한 가상의 시나리오를 설명한다.
- 평가 종료까지 힌트를 주거나, 개입하지 않는다.
- 술기 항목 단계를 시행하면 시행 상자(ㅁ)에 체크 표시(V)를 한다.
- 맥박 및 호흡 확인과 가슴압박 속도를 측정하기 위해 스톱워치를 사용하도록 한다.
- 모든 술기가 정확하게 시행되었다면 평가 결과 합격에 ㅇ표시를 한다.
- 평가가 종료되면 결과를 알려주며 건설적인 feedback을 한다.
- 틀린 부분에 대해 정확한 방법을 알려준다.
- 시행이 하나라도 빠지면 불합격에 ㅇ표시를 하고 불합격 처리 기준에 따른다.
- 강사 이름을 작성하고 서명한다.

2) 기본소생술 술기 평가표 - 성인

대한심폐소생협회 기본소생술 술기평가표 – 성인

교육생 이름: 평가 일자:
강사 이름/ 서명: (서명) 평가 결과: 합격 / 불합격

단계	술기 항목	시행	Memo
	강사 – 학생에게 현재의 심정지 상황에 대한 가상적인 시나리오를 설명한다.		
0.	**현장 안전 확인**	▣	
1.	**심정지 평가 – 반응 확인**	□	
2.	**응급의료 체계 활성화와 AED 요청**		
	2-1 119 요청, 또는 원내 Code Blue Team 호출 요청	□	
	2-2 AED 요청, 또는 응급 카트 요청	□	
	2-3 맥박, 호흡, 환자의 움직임을 동시에 확인 (10초 이내)	□	(초)
3.	**고품질의 심폐소생술**		
	3-1 정확한 압박위치와 자세	□	
	강하고 빠른 가슴압박		
	3-2 적절한 압박속도 – 분당 100-120회, 30회의 가슴압박을 15-18초	□	(초)
	3-3 적절한 압박 깊이 – 약 5 cm 깊이로 압박, 6 cm 을 넘지 않음	□	
	3-4 적절한 압박 이완	□	
	적절한 호흡 (Faceshield 사용)		
	3-5 인공호흡으로 가슴 상승	□	
	3-6 과호흡하지 않음	□	
	3-7 심폐소생술 모든 기간 중 가슴압박 중단의 최소화 (10초 이내)	□	
	강사 – 최소 3주기 이상의 충분한 평가를 시행한 후에 2차 구조자 도착을 유도한다.		
4.	**AED**		
	4-1 AED 전원을 켬	□	
	4-2 AED Pad를 환자 가슴의 적절한 위치에 부착	□	
	4-3 분석을 시작할 때 모두 물러나게 지시 (말과 행동)	□	
	4-4 분석 후 충전 될 때까지 2차 구조자에게 가슴 압박을 지시	▣	
	4-5 AED가 shock을 지시할 때, 모두 물러나게 지시 후 shcok을 전달	□	
5.	**2인 심폐소생술**		
	5-1 AED shock이 전달되면 1차 구조자는 즉시 가슴압박을 시행	□	
	5-2 2차 구조자는 인공호흡을 시행	▣	
	강사 – 최소 1주기 이상의 2인 심폐소생술을 시행 한 후, 시험을 종료한다		
강사 Feedback 메모			
주의사항 강사는 1차 구조자가 □ 표시된 항목을 모두 수행해야 합격으로 판단한다. ▣ 표시된 항목에 대하여는 수행이 안되면 시험 후 feedback을 시행한다.			

- 1구조자가 □표시된 항목을 모두 수행해야 합격
- ▣표시된 항목은 수행되지 않으면 시험 후 feedback 시행
- 교육생 확인

대한심폐소생협회 기본소생술 술기평가표 – 성인

교육생 이름: 평가 일자:
강사 이름/ 서명: (서명) 평가 결과: 합격 / 불합격

- 교육생 이름과 평가일자를 기록한다.
- 교육생이 긴장한다면 긴장을 풀어줄 수 있다.

- 시나리오 제시

단계	술기 항목	시행	Memo
	강사 – 학생에게 현재의 심정지 상황에 대한 가상적인 시나리오를 설명한다.		

- 준비가 되면 시나리오를 설명한다.
  ex) 50대 남성으로 보이는 남자가 쓰러지는 것을 목격하였다. 주변에 위험요소는 보이지 않습니다. 시작하세요!

- 0, 1 현장안전 확인 & 심장정지 평가 – 반응 확인

0.	**현장 안전 확인**	▣	
1.	**심정지 평가 – 반응 확인**	□	

- 마네킹에 다가가기 전 현장의 위험을 확인하는 조치(행동)를 한다. 만약 실시하지 않았다면 평가 종료 후 feedback을 해준다.
- 마네킹의 양쪽 어깨를 가볍게 두드리고 목소리를 크게 하여 마네킹의 반응을 확인하는지 평가한다.

● 2. 응급의료 체계 활성화와 자동제세동기(AED) 요청

2.	응급의료 체계 활성화와 AED 요청		
	2-1 119 요청, 또는 원내 Code Blue Team 호출 요청	□	
	2-2 AED 요청, 또는 응급 카트 요청	□	
	2-3 맥박, 호흡, 환자의 움직임을 동시에 확인 (10초 이내)	□	(초)

- 강사 또는 다른 교육생을 지목하고 눈을 마주치며 자신감 있게 수행하는지 평가한다.
- 병원밖 상황에서는 119신고와 자동제세동기(AED)를 가져오도록 요청해야 한다.
- 병원내 상황에서는 원내 CPR팀을 호출하도록 요청하고 제세동기 또는 응급 카트를 가져오도록 해야 한다.
- 목동맥에서 맥박을 확인하며 동시에 호흡과 움직임이 있는지 5초 이상-10초 이내로 확인하는 것을 스톱워치로 평가하여 시간을 기록한다(시간은 소수점 첫 번째 자리까지 기록).

● 3. 고품질의 심폐소생술

3.	고품질의 심폐소생술		
	3-1 정확한 압박위치와 자세 강하고 빠른 가슴압박	□	
	3-2 적절한 압박속도 - 분당 100-120회, 30회의 가슴압박을 15-18초	□	(초)
	3-3 적절한 압박 깊이 - 약 5 cm 깊이로 압박, 6 cm 을 넘지 않음	□	
	3-4 적절한 압박 이완 적절한 호흡 (Faceshield 사용)	□	
	3-5 인공호흡으로 가슴 상승	□	
	3-6 과호흡하지 않음	□	
	3-7 심폐소생술 모든 기간 중 가슴압박 중단의 최소화 (10초 이내)	□	
강사 - 최소 3주기 이상의 충분한 평가를 시행한 후에 2차 구조자 도착을 유도한다.			

- 가슴압박 위치는 가슴뼈 아래쪽 절반 부위이다. 한 손을 가슴뼈 아래쪽 절반 부위 중앙에 올려놓고, 다른 한손을 포개 올린다. 위에 올린 손은 깍지를 끼고, 아래 손은 손가락을 펼치되 환자의 가슴에 닿지 않도록 한다. 팔꿈치는 완전히 펴서 고정하고 손과 어깨가 환자의 몸과 수직이 되도록 해

야 한다.

- 가슴압박의 속도는 스톱워치로 측정하고 가슴뼈를 최초로 압박하는 순간부터 30회가 끝나는 즉시 스톱워치를 중지하고 시간을 기록한다(시간은 소수점 첫번째 자리까지 기록). 30회 가슴압박이 15.0-18.0초에 들어오도록 해야 한다.
- 가슴압박 깊이는 약 5 cm깊이로 압박해야 하고, 6 cm는 넘지 않아야 한다(가슴압박 깊이 측정 장치가 있는 경우 평가에 활용).
- 가슴압박 이완은 가슴압박의 깊이만큼 되돌아오도록 하며 마네킹에서 손꿈치가 떨어지지 않아야 한다.
- 인공호흡은 안면 보호구(face shield)를 사용하여 머리기울임-턱들어올리기 방법으로 기도를 열고 코를 막은 상태에서 입을 완전히 밀착하여 공기가 새지 않도록 하며 가슴 상승이 눈으로 확인되어야 한다.
- 과호흡되지 않도록 매 인공호흡은 1초 동안 유지하여야 한다.
- 가슴압박 중단을 최소화하기 위하여 인공호흡은 10초 이내에 2회를 실시해야 한다.
- 최소 3주기를 실시하여 평가한다.
- 1인 성인 심폐소생술 평가가 완료되면 2차 구조자(강사 또는 2번째 교육생) 도착을 유도한다.
  ex) 2차 구조자가 자동제세동기(AED)와 백마스크(BVM)을 가지고 도착했습니다.
- 2차 구조자가 "제가 가슴압박을 하겠습니다. 자동제세동기(AED)를 사용하세요."라고 말한다

● 4. 자동제세동기(AED)

4.	AED		
	4-1 AED 전원을 켬	□	
	4-2 AED Pad를 환자 가슴의 적절한 위치에 부착	□	
	4-3 분석을 시작할 때 모두 물러나게 지시 (말과 행동)	□	
	4-4 분석 후 충전 될 때까지 2차 구조자에게 가슴 압박을 지시	▣	
	4-5 AED가 shock을 지시할 때, 모두 물러나게 지시 후 shcok을 전달	□	

- 가장 먼저 자동제세동기(AED)의 전원을 켜고 자동제세동기(AED)의 안내를 따라야 한다.
- 패드는 가슴압박을 중단하지 않도록 하며 그림대로 조심스럽게 부착한다.
- 커넥터를 연결해야 한다(자동제세동기(AED) 제조사마다 약간의 차이가 있을 수 있어 제조사 사용방법에 따른다).
- 분석 중에는 말과 행동으로 환자에게서 모두 떨어지도록 한다.
- 충전 중에는 2차 구조자에게 가슴압박을 지시한다. 만약 실시하지 않았다면 평가 종료 후 feedback을 해준다.
- 자동제세동기(AED)가 shock을 지시하면 말과 행동으로 환자에게서 모두 떨어지도록 하고 shock을 전달한다.

● 5. 2인 심폐소생술

5.	**2인 심폐소생술**		
	5-1 AED shock이 전달되면 1차 구조자는 즉시 가슴압박을 시행	□	
	5-2 2차 구조자는 인공호흡을 시행	▣	

- 자동제세동기(AED)로 shock을 전달하고 1차 구조자는 즉시 가슴압박을 시행한다.
- 2차구조자는 환자의 머리위에서 인공호흡을 시행하여 30:2의 가슴압박과 인공호흡을 한다. 실시하지 않는 경우 평가 종료 후 feedback을 해준다.

- 최소 1주기(가슴압박 30번 또는 30:2로 가슴압박과 인공호흡)를 시행한 후 강사는 시험을 종료시킨다.

- 강사 feedback 메모

강사 - 최소 1주기 이상의 2인 심폐소생술을 시행 한 후, 시험을 종료한다
강사 Feedback 메모

  - Feedback해야 할 내용을 메모할 수 있다.
  - 불합격한 경우 불합격한 내용을 기록할 수 있다.

- 평가결과 및 강사 서명

대한심폐소생협회 기본소생술 술기평가표 – 성인

교육생 이름:		평가 일자:	
강사 이름/ 서명:	(서명)	평가 결과:	합격 / 불합격

  - 평가결과에 동그라미로 표시한다.
  - 강사이름에 이름을 작성하고 서명한다.

3) 기본소생술 술기평가표 - 영아

대한심폐소생협회 기본소생술 술기평가표 – 영아

교육생 이름: 평가 일자:

강사 이름/ 서명: (서명) 평가 결과: 합격 / 불합격

단계	술기 항목	시행	Memo
강사 – 학생에게 현재의 심정지 상황에 대한 가상적인 시나리오를 설명한다.			
0.	**현장 안전 확인**	▣	
1.	**심정지 평가 – 반응 확인**	□	
2.	**응급의료 체계 활성화와 AED 요청**		
	2-1 119 요청, 또는 원내 Code Blue Team 호출 요청	□	
	2-2 AED 요청, 또는 응급 카트 요청	□	
	2-3 맥박, 호흡, 환자의 움직임을 동시에 확인 (10초 이내)	□	(초)
3.	**고품질의 심폐소생술**		
	3-1 정확한 압박위치와 자세(두 손가락 가슴압박)	□	
	강하고 빠른 가슴압박		
	3-2 적절한 압박속도 – 분당 100–120회, 30회의 가슴압박을 15–18초	□	(초)
	3-3 적절한 압박 깊이 – 4 cm 깊이로 압박, 가슴 두께의 최소 1/3 이상	□	
	3-4 적절한 압박 이완	□	
	적절한 호흡 (Faceshield 사용)		
	3-5 인공호흡으로 가슴 상승	□	
	3-6 과호흡하지 않음	□	
	3-7 심폐소생술 모든 기간 중 가슴압박 중단의 최소화 (10초 이내)	□	
강사 – 최소 3주기 이상의 충분한 평가를 시행한 후에 2차 구조자 도착을 유도한다.			
4.	**2인 심폐소생술–1차 구조자 가슴압박**		
	1차 구조자는 가슴압박	□	
	4-1 양손감싼 두엄지 가슴압박법으로 전환하여, 15:2로 가슴압박	□	
	4-2 적절한 압박속도–분당 100–120회, 15회의 가슴압박을 7.5–9초	□	(초)
	4-3 2차 구조자는 BVM으로 인공호흡	▣	
5.	**2인 심폐소생술–1차 구조자 인공호흡**		
	5-1 2차 구조자는 가슴압박	▣	
	5-2 1차 구조자는 인공호흡을 시행	□	
강사 – 최소 1주기 이상의 2인 심폐소생술을 시행 한 후, 시험을 종료한다			
강사 Feedback 메모			
주의사항 강사는 1차 구조자가 □ 표시된 항목을 모두 수행해야 합격으로 판단한다. ▣ 표시된 항목에 대하여는 수행이 안되면 시험 후 feed back을 시행한다.			

- 1구조자가 ▫표시된 항목을 모두 수행해야 합격
- ▣표시된 항목은 수행되지 않으면 시험 후 feedback 시행
- 교육생 확인

대한심폐소생협회 기본소생술 술기평가표 – 영아

교육생 이름: 평가 일자:
강사 이름/ 서명: (서명) 평가 결과: 합격 / 불합격

- 교육생 이름과 평가일자를 기록한다.
- 교육생이 긴장한다면 긴장을 풀어줄 수 있다.

- 시나리오 제시

단계	술기 항목	시행	Memo
	강사 – 학생에게 현재의 심정지 상황에 대한 가상적인 시나리오를 설명한다.		

- 준비가 되면 시나리오를 설명한다.
  ex) 소아과 병동에서 30대로 보이는 여자가 "우리 애기가 이상해요 도와주세요"라고 크게 소리치고 있습니다. 시작하세요.

- 0,1 현장안전 확인 & 심장정지 평가 – 반응 확인

0.	**현장 안전 확인**	▣	
1.	**심정지 평가 – 반응 확인**	□	

- 마네킹에 다가가기 전 현장의 위험을 확인하는 조치(행동)를 한다. 만약 실시하지 않았다면 평가 종료 후 feedback을 해준다.
- 마네킹의 발바닥을 두드리고 목소리를 크게 하여 마네킹의 반응을 확인하는지 평가한다.

● 2. 응급의료 체계 활성화와 AED 요청

2.	**응급의료 체계 활성화와 AED 요청**		
	2-1 119 요청, 또는 원내 Code Blue Team 호출 요청	□	
	2-2 AED 요청, 또는 응급 카트 요청	□	
	2-3 맥박, 호흡, 환자의 움직임을 동시에 확인 (10초 이내)	□	(　　초)

- 강사 또는 다른 교육생을 지목하고 눈을 마주치며 자신감 있게 수행하는지 평가한다.
- 병원밖 상황에서는 119신고와 AED를 가져오도록 요청해야 한다.
- 병원내 상황에서는 원내 CPR팀을 호출하도록 요청하고 응급 카트를 가져오도록 해야 한다.
- 위팔동맥에서 맥박을 확인하며 동시에 호흡과 움직임이 있는지 5초 이상-10초 이내로 확인하는 것을 스톱워치로 평가하여 시간을 기록한다(시간은 소수점 첫번째 자리까지 기록).

● 3. 고품질의 심폐소생술

3.	**고품질의 심폐소생술**		
	3-1 정확한 압박위치와 자세(두 손가락 가슴압박)	□	
	강하고 빠른 가슴압박		
	3-2 적절한 압박속도 - 분당 100-120회, 30회의 가슴압박을 15-18초	□	(　　초)
	3-3 적절한 압박 깊이 - 4 cm 깊이로 압박, 가슴 두께의 최소 1/3 이상	□	
	3-4 적절한 압박 이완	□	
	적절한 호흡 (Faceshield 사용)		
	3-5 인공호흡으로 가슴 상승	□	
	3-6 과호흡하지 않음	□	
	3-7 심폐소생술 모든 기간 중 가슴압박 중단의 최소화 (10초 이내)	□	

- 가슴압박 위치는 영아의 두 젖꼭지를 이은 선 중앙 바로 아래에 교육생의 두 손가락이 수직이 되었는지 평가한다. 두 손가락은 2, 3번째 손가락 또는 3, 4번째 손가락을 사용할 수 있다.

- 가슴압박의 속도는 스톱워치로 측정하고 가슴뼈를 최초로 압박하는 순간부터 30회가 끝나는 즉시 스톱워치를 중지하고 시간을 기록한다. (시간은 소수점 첫번째 자리까지 기록) 30회 가슴압박이 15.0-18.0초에 들어오도록 해야 한다.
- 가슴압박 깊이는 4 cm 깊이로 압박해야 하고 가슴 두께의 최소 1/3이상이 되도록 해야 한다(가슴압박 깊이 측정 장치가 있는 경우 평가에 활용).
- 압박 이완은 가슴압박의 깊이만큼 되돌아오도록 하며 영아마네킹에서 손가락이 떨어지지 않아야 한다.
- 인공호흡은 안면 보호구(face shield)를 사용하여 머리기울임-턱들어올리기 방법으로 기도 열되 과신전 되지 않도록 하고, 교육생의 입으로 영아마네킹의 코와 입을 완전히 밀착하여 공기가 새지 않도록 하며 가슴상승이 눈으로 확인되어야 한다.
- 과호흡되지 않도록 매 인공호흡은 1초 동안 유지하여야 한다.
- 가슴압박 중단을 최소화하기 위하여 인공호흡은 10초 이내에 2회를 실시해야 한다.
- 최소 3주기를 실시하여 평가한다.
- 1인 성인 심폐소생술 평가가 완료되면 2차 구조자(강사 또는 2번째 교육생) 도착을 유도한다.
  ex) 2차 구조자가 BVM을 가지고 도착했습니다.
- 2차 구조자가 "가슴압박을 하세요 제가 BVM으로 환기를 하겠습니다."라고 말한다

- 4. 2인 심폐소생술 - 1차 구조자 가슴압박

4.	2인 심폐소생술-1차 구조자 가슴압박		
	1차 구조자는 가슴압박	□	
	4-1 양손감싼 두엄지 가슴압박법으로 전환하여, 15:2로 가슴압박	□	
	4-2 적절한 압박속도-분당 100-120회, 15회의 가슴압박을 7.5-9초	□	(초)
	4-3 2차 구조자는 BVM으로 인공호흡	▣	

- 교육생은 양손 감싼 두 엄지 가슴압박법으로 영아마네킹의 두 젖꼭지를 이은 선 중앙 바로 아래에 위치해야 한다. 엄지손가락은 떨어지지 않아야 한다. 엄지손가락은 포개어 실시해도 된다.
- 가슴압박의 속도는 초시계로 측정하고 가슴뼈를 최초로 압박하는 순간부터 15회가 끝나는 즉시 초시계를 중지하고 시간을 기록한다. (시간은 소수점 첫번째 자리까지 기록) 15회 가슴압박이 7.5-9.0초에 들어오도록 해야 한다.
- 15회의 가슴압박이 끝나면 2차 구조자는 백마스크(BVM)을 사용하여 과신전 되지 않도록 하고 EC테크닉으로 마스크를 밀착한 상태에서 과환기 되지 않고 가슴 상승이 보일 정도로 1초 동안 1회 인공호흡을 2회 실시한다. 만약 실시하지 않았거나 가슴 상승이 되지 않았다면 평가 종료 후 feedback을 해준다.
- 가슴압박 중단 시간은 10초 이내로 해야 한다.

- 5. 2인 심폐소생술 - 1차 구조자 인공호흡

5.	2인 심폐소생술-1차 구조자 인공호흡		
	5-1 2차 구조자는 가슴압박	▣	
	5-2 1차 구조자는 인공호흡을 시행	□	
강사 - 최소 1주기 이상의 2인 심폐소생술을 시행 한 후, 시험을 종료한다			

- 강사는 2인 심폐소생술 교대를 안내해야 한다.
  ex) 2분 경과하였습니다. 마지막 10주기입니다.

- 교육생은 교대할 때 5초 이내에 전환하도록 해야 한다.
- 2차 구조자는 가슴압박을 시행하고 가슴압박의 속도, 위치, 깊이가 부적절한 경우에는 평가 종료 후 feedback을 해준다.
- 1차 구조자는 15회의 가슴압박이 끝나면 즉시 백마스크(BVM)을 사용하여 과신전 되지 않도록 하고 EC테크닉으로 마스크를 밀착한 상태에서 과환기 되지 않고 가슴 상승이 보일 정도로 1초 동안 1회 인공호흡을 2회 실시한다.
- 최소 1주기(15:2로 가슴압박과 인공호흡)를 시행한 후 강사는 시험을 종료시킨다.

● 강사 feedback 메모

강사 Feedback 메모
주의사항 강사는 1차 구조자가 □ 표시된 항목을 모두 수행해야 합격으로 판단한다. ▣ 표시된 항목에 대하여는 수행이 안되면 시험 후 feed back을 시행한다.

- Feedback해야 할 내용을 메모할 수 있다.
  - 불합격한 경우 불합격한 내용을 기록할 수 있다.

● 평가결과 및 강사 서명

대한심폐소생협회 기본소생술 술기평가표 – 영아

교육생 이름:		평가 일자:	
강사 이름/ 서명:	(서명)	평가 결과:	합격 / 불합격

- 평가결과에 동그라미로 표시한다.
- 강사 이름에 이름을 작성하고 서명한다.

4) 불합격 처리

- 술기 평가 과정 중 불합격 하였지만 시간이 허락하는 경우 1회에 한하여 불합격한 술기에 대해 재시험의 기회를 줄 수 있다.
- 1회의 재시험에도 불합격한 경우 불합격한 술기에 대해 재시험을 받도록 할 수 있다.
- 술기 평가 과정에서 불합격한 경우 교육과정 종료 후 재시험(전체과정)을 실시할 수 있다.
- 교육과정 종류 후 재시험에서도 불합격하고, 교육생이 많은 부분에서 재교육이 필요하다고 판단되는 경우 교육과정을 다시 수강하도록 권고할 수 있다.
- 술기평가표는 불합격과 합격 평가표 모두를 보관한다.

3. 필기 평가

- 필기구 이외의 모든 자료는 보이지 않도록 교육생에게 안내한다.
- 문제지의 회수와 보관을 철저히 하여 외부로 노출되지 않도록 해야 한다.
- 시험 보는 동안 휴대폰 촬영이나, 문제가 메모되지 않도록 시험 감독을 철저히 해야 한다.
- 시험 시간은 20-25분으로 하되 필요하다면 시간을 늘려줄 수 있다.

1) 합격기준

평가	결과	비고
84% 이상	합격	21-25점
75% 이상	재시험 또는 구술 평가	19-20점
75% 미만	불합격	0-18점

2) 재시험 또는 구술평가

재평가가 필요한 교육생에게 재시험을 시행하는 경우에는 버전을 바꾸어 시행한다.

재평가가 필요한 교육생을 구술 평가할 때는 다음의 구술평가서를 사용한다.

대한심폐소생협회 기본소생술
(Korean Basic Life Support: KBLS)
과정 구술평가서

교육기관 :
교율일자 : 20 년 월 일 : ~ :

교육생 _______은(는) KBLS Provider 과정 1차 필기시험(A/B 버전) 점수 19, 20개/25개로 구술평가를 시행합니다.

NO	틀린 문항 번호	구술평가 시행 결과	기타
1		적절 / 부적절 응답	
2		적절 / 부적절 응답	
3		적절 / 부적절 응답	
4		적절 / 부적절 응답	
5		적절 / 부적절 응답	
6		적절 / 부적절 응답	

구술평가 후 점수는 _____개/25개로
최종 합격 / 불합격 하였음을 확인하였습니다.

강사 : ___________(서명)

- 교육 기관과 교육 일자를 작성한다.
- 교육생 이름을 작성하고 1차 필기시험 버전에 ○표시를 한다.
- 25개 중 교육생이 획득한 점수에 ○표시를 한다(구술평가 전 점수).
- 틀린 문항 번호를 작성하고 틀린 문제를 다시 풀어보도록 하며 강사는 어떠한 힌트도 주어서는 안 된다.
- 적절하게 답변한 경우 구술 평가 시행 결과의 적절에 동그라미를 표시한다.
  - 구술평가 전 필기평가 점수가
    19점 인경우 2개의 적절한 답변을 해야 하고, 20점인 경우 1개의 적절한 답변을 해야 한다.
  - 구술평가 후 점수는 21개/25개로 작성하고 최종합격에 ○표시를 한다.
- 만약 부적절하게 답변한 경우 다른 틀린 문제를 풀어보도록 한다.
- 5~6문항 모두 부적절한 응답을 한 경우 구술 평가 후 점수는 19 또는 20개로 작성하고, 최종 불합격에 ○표시를 한다.
- 강사 이름과 서명하고 1차 필기시험 답안지와 함께 보관한다.

기본소생술 강의계획서

기본소생술 강사

CHAPTER

1. 교육과정 전 준비

1) 교육 30-60일 전: 교육과정의 세부사항을 결정

- 교육생 수 결정
- 필요한 강의실 예약 및 장비 마련
- 교육 규모에 따른 강사 추가 모집 고려
- 최종 교육생 확정
- 대한심폐소생협회 기본소생술 교육과정 규정 준수

2) 교육 최소 3주 전: 교육 안내

- 참여하는 교육생들에게 교육 시작 전 안내문, 교육 과정 프로그램, 교육생 자료 발송
- 강사 참가 여부 최종 확인

3) 교육 전날: 교육 준비 점검

- 강의실 예약 확인
- 필수 장비 준비 점검
- 강의실 자리 배치
- 장비 작동 여부 점검
- 참여 강사의 교육 역할 배정

4) 교육일: 교육 전 최종 확인

- 교육 장소에 먼저 도착
- 장비 작동 여부 및 세척 상태 확인
- 동영상 재생 확인: 화면과 음향
- 도착한 교육생 안내 및 등록
- 소모품 배부

2. 교육과정 소개

- 기본소생술 교육과정의 학습 목표와 교육과정을 소개하고, 기본소생술의 중요성을 설명한다.
- 참여 강사들을 소개한다.
- 참여 교육생 상호간의 간단한 인사와 소개를 통하여 학생들의 특성을 파악한다.
- 교육과정 프로그램 안내와 주의사항에 대하여 설명한다.
- 교육과정 중에 반드시 금연해야 함을 설명한다.
- 기본소생술 과정은 동영상 보고 따라하기(PWW: Practice While Watching) 방식으로 진행됨을 알려준다.
- 교육과정 중에 포함되는 평가(술기, 필기)에 대하여 설명하고, 합격 기준에 대하여 안내한다.

3. Pretest 풀이

- 학생들이 풀어온 Pretest에 대하여 간단하게 풀이를 시행한다.
- 학생들은 교육 과정 등록 후에 각자 마이페이지 화면에서 pretest 문제를 풀어야 하고, 결과를 출력하여 교육당일 지참해야 한다.
- 교육과정에 참여한 학생이 사전에 문제 풀이를 했는지 여부는 대한심폐소생협회 홈페이지의 Instructor Network 관리자 화면에서 확인할 수 있다.
- 대한심폐소생협회 Instructor Network 화면에서 교육과정 리스트를 선택하고 이번 교육과정의 'PreTEST 통계 → 통계자료' 메뉴를 클릭하면 학생들의 사전 시험 문제 응답수와 응답 백분율을 확인할 수 있다.
- 과정소개에서 파악된 교육생들의 특성과 지식 수준을 바탕으로 얼마나 자세히 해설할지 결정한다.

4. 병원밖 심장정지 예시 동영상 강의

- 심장정지 사례의 재연 동영상 시청
- 교육생들이 급성 심장정지 상황에서의 응급처치 순서에 집중하면서 동영상을 시청할 수 있도록 한다.
- 시간 흐름에 따라(동영상 하단의 시계 참조) 목격자 심폐소생술에서 자동제세동기 사용, 구급대 응급처치와 이송으로 이어지는 과정에 주목하면서 전체 과정을 관찰하도록 유도한다.

5. 심폐소생술 소개 동영상 강의

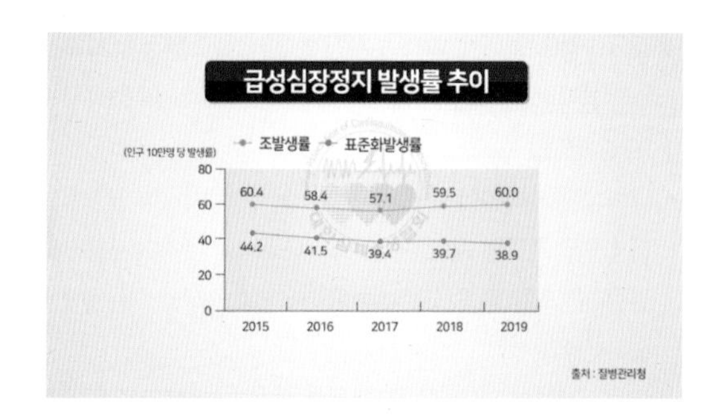

- 교육생들이 질병관리청의 급성 심장정지조사 주요 결과 설명

에 집중하도록 유도한다.

- 심장정지 환자의 생존율 상승을 위해서는 목격자 심폐소생술이 중요함을 강조한다.

6. 심장정지 확인 및 신고 동영상 강의

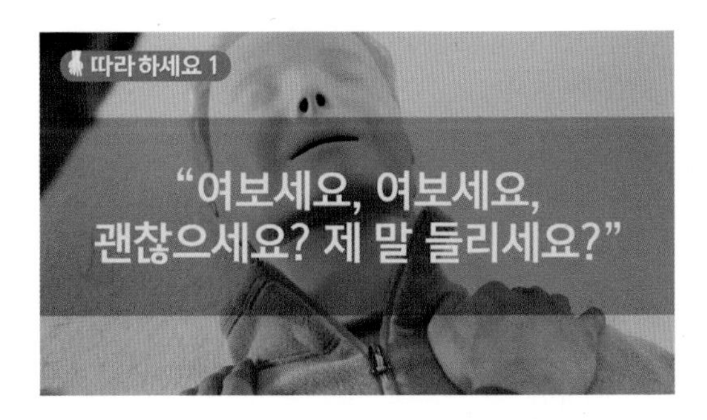

1) 병원밖

- 병원밖 심장정지에서의 반응 확인, 도움 요청, 맥박과 호흡 확인, 심장정지 증상, 가슴 압박 실시의 내용이 소개된다.
- '주목하세요': 교육생들이 동영상 시청에 집중하게 하고 개별적으로 실습하지 않도록 지도한다.
- '실습 준비': 강사 대 교육생의 비율에 따라 첫번째 교육생부터 실습할 수 있도록 준비시킨다.
- '따라하세요': 교육생들이 화면을 보면서 따라하도록 교육한다. 교육생들이 화면에 제시된 문구를 큰 목소리로 따라서 읽고 동작을 따라하도록 지도한다(반복하여 2회 실습).
- '교육생 교대': 다음 교육생과 교대, 필요하면 동영상을 잠시 멈출 수도 있다.

2) 병원내

- 병원내에서의 반응 확인, 도움 요청, 맥박과 호흡 확인, 가슴 압박 실시의 내용이 소개된다(병원내 실습 과정은 없음).
- 동영상 보고 따라하기가 포함되어 있지 않고, 비디오 내용을 시청하고 추가 설명 또는 토론을 유도한다.

7. 신속한 심폐소생술 동영상 강의

1) 가슴 압박

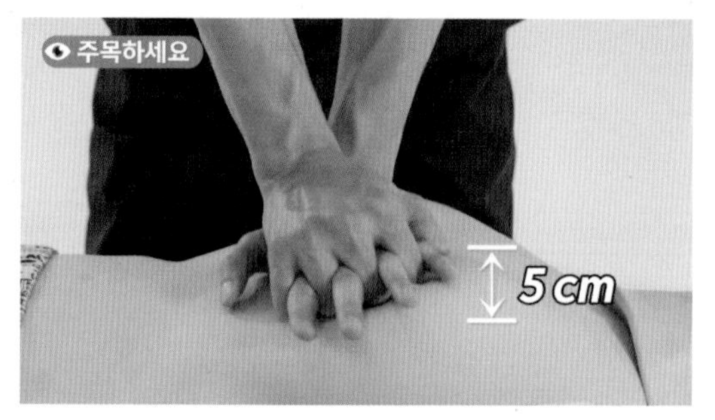

- '주목하세요': 교육생들이 동영상 시청에 집중하게 하고 개별적으로 실습하지 않도록 지도한다.
- '실습 준비': 강사 대 교육생의 비율에 따라 첫번째 교육생부터 실습할 수 있도록 준비시킨다.
- '따라하세요': 교육생들이 화면을 보면서 따라하도록 교육한다. 압박 횟수를 큰 소리로 세도록 한다(30회씩 5주기 실습).
- '교육생 교대': 다음 교육생과 교대, 필요하면 동영상을 잠시 멈출 수도 있다.
- 고품질의 가슴 압박이 중요한 이유에 대해 강조한다.

2) 인공호흡

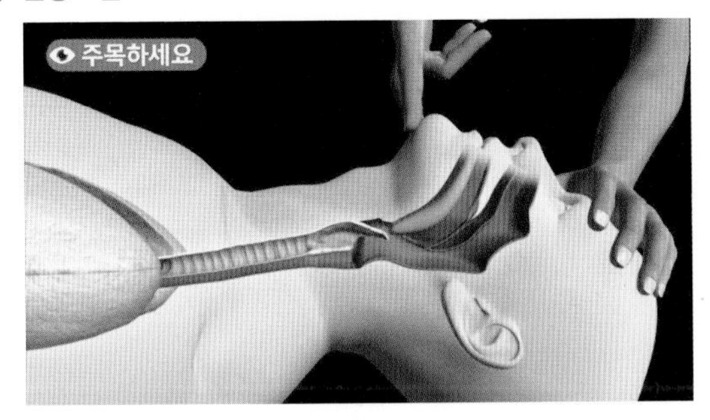

- '주목하세요': 교육생들이 동영상 시청에 집중하게 하고 개별적으로 실습하지 않도록 지도한다.
- '실습 준비': 강사 대 교육생의 비율에 따라 첫번째 교육생부터 실습할 수 있도록 준비시킨다.
- '따라하세요': 교육생들이 화면을 보면서 따라하도록 교육한다(2회씩 5주기 실습).
- '교육생 교대': 다음 교육생과 교대, 필요하면 동영상을 잠시 멈출 수도 있다.
- 인공호흡 하는 동안 가슴이 올라오는지 확인하고 과도한 인공호흡을 피해야 함을 강조한다.

3) 가슴 압박과 인공호흡

- '주목하세요' - '실습 준비' - '따라하세요' - '교육생 교대'의 순서로 가슴 압박 30회와 인공호흡 2회를 총 5주기 실습한다.

4) 전체 과정 실습 - 병원내

- 병원내 심장정지 상황에서는 도움 요청 방법이 다름을 강조한다(병원밖 상황의 전체 과정 실습은 없음).

- ‘주목하세요’ - ‘실습 준비’ - ‘따라하세요’ - ‘교육생 교대’의 순서로 심장정지 확인 및 신고부터 가슴 압박 30회와 인공호흡 2회를 총 5주기 실습한다.
- 구조자가 2명 이상인 경우 팀으로 하는 심폐소생술에 대해 소개한다.

8. 인공호흡 장비 동영상 강의

1) 포켓 마스크

- ‘주목하세요’: 교육생들이 동영상 시청에 집중하게 하고 개별적으로 실습하지 않도록 지도한다(동영상 보고 따라하기 실습 없음).

2) 백마스크 사용법 - 한손 기법

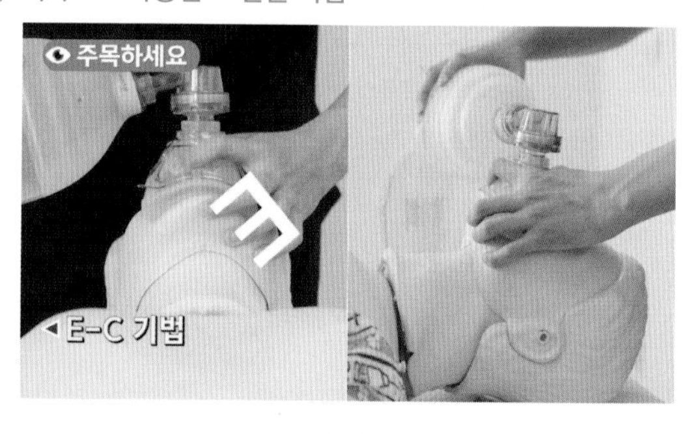

- ‘주목하세요’: 교육생들이 동영상 시청에 집중하게 하고 개별적으로 실습하지 않도록 지도한다.
- ‘실습 준비’: 강사 대 교육생의 비율에 따라 첫번째 교육생부터 실습할 수 있도록 준비시킨다.
- ‘따라하세요’: 교육생들이 화면을 보면서 따라하도록 교육한다. E-C 기법의 정확한 손 자세를 유지하도록 지도한다(2회씩 5주기 실습).

- '교육생 교대': 다음 교육생과 교대, 필요하면 동영상을 잠시 멈출 수도 있다.

3) 백마스크 사용법 - 양손 기법

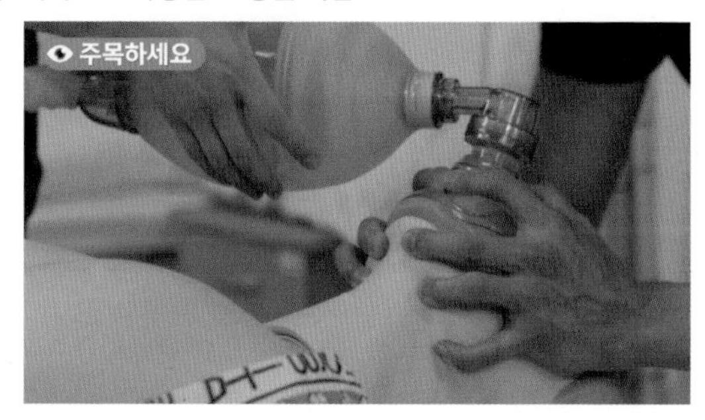

- '주목하세요': 교육생들이 동영상 시청에 집중하게 하고 개별적으로 실습하지 않도록 지도한다(동영상 보고 따라하기 실습 없음).

9. 제세동 동영상 강의

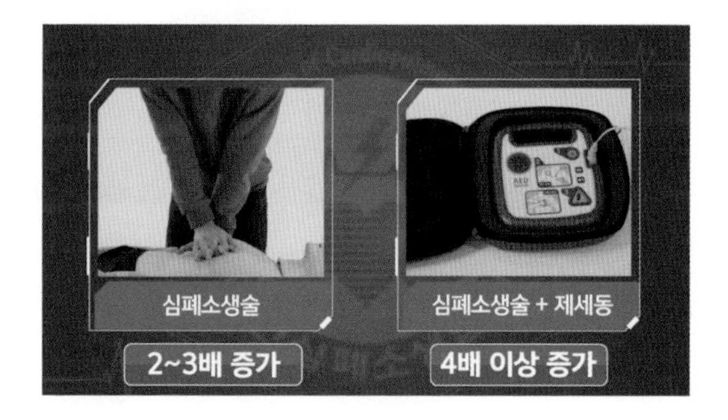

- 신속한 제세동의 중요성, 제세동기의 종류와 사용방법, 의무 설치 규정 등에 대한 설명이 제시되므로 교육생들이 동영상 시청에 집중하게 한다.

1) 자동제세동기

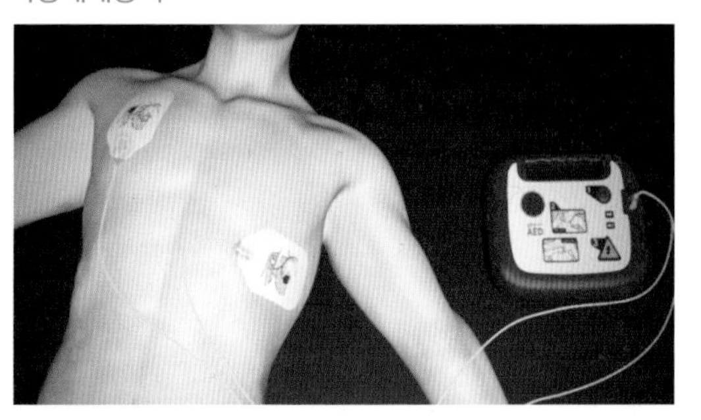

- ‘주목하세요’: 교육생들이 동영상 시청에 집중하게 하고 개별적으로 실습하지 않도록 지도한다.
- ‘조별 실습’: 조별로 강사의 지도하에 자동제세동기를 사용해보는 실습시간을 갖는다.
- 과정의 디렉터가 조별 실습시간을 배정하고 전체 과정이 지연되지 않도록 관리한다.
- 자동제세동기 사용시 주의사항 설명이 나오므로 교육생들이 동영상 시청에 집중하게 한다.

2) 수동제세동기

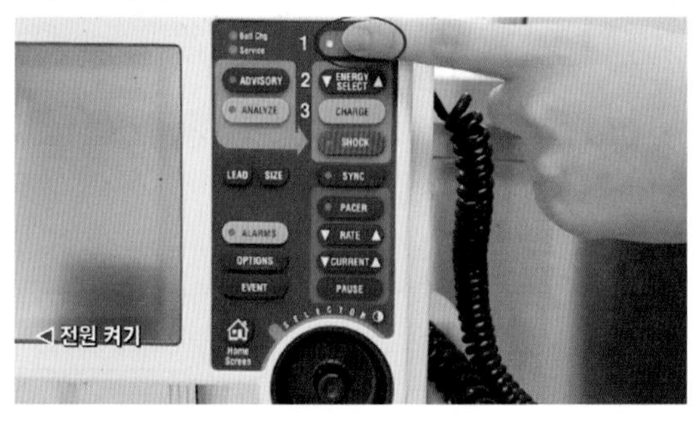

- 심장정지에서 관찰되는 네 가지 심전도 리듬과 제세동 처치, 수

동 제세동기의 종류와 차이점 등이 동영상으로 소개된다.

- 수동 제세동기의 일반적인 사용방법이 시연을 통해서 설명되므로 교육생들이 동영상 시청에 집중하게 하고 개별적으로 실습하지 않도록 지도한다.
- 수동 제세동기를 준비할 수 있으면 교육 중에 직접 수동 제세동기를 소개하고 보여주는 것을 권장한다.

10. 병원내 팀 소생술 동영상 강의

- 병원내 팀 소생술 과정에 대한 시연 동영상이 제공되므로 교육생들이 동영상 시청에 집중하게 한다.

11. 전문기도기 동영상 강의

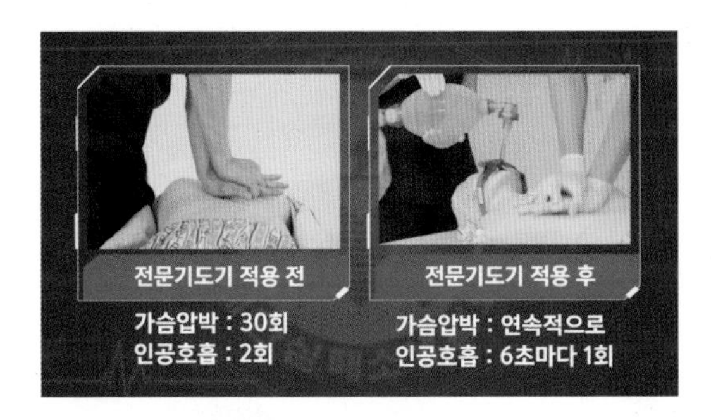

- 여러 가지 종류의 전문기도기를 소개하고 전문기도기 적용 전 후 소생술 방법의 차이에 대해서 강조한다.

12. 소아 심장정지 환자 발생시 응급처치 동영상 강의

- 심장정지에서 연령 구분 기준, 소아/영아 심폐소생술과 성인의 차이점, 소아 제세동기 사용법에 대해서 소개한다(동영상 보고 따라하기 실습 없음).

13. 영아 심폐소생술 동영상 강의

- 반응 확인, 맥박 확인, 가슴 압박 방법, 가슴 압박 대 인공호흡의 비율 등 성인 심폐소생술과 다른 점을 위주로 동영상 시청에 집중하도록 한다.

1) 1인 구조자

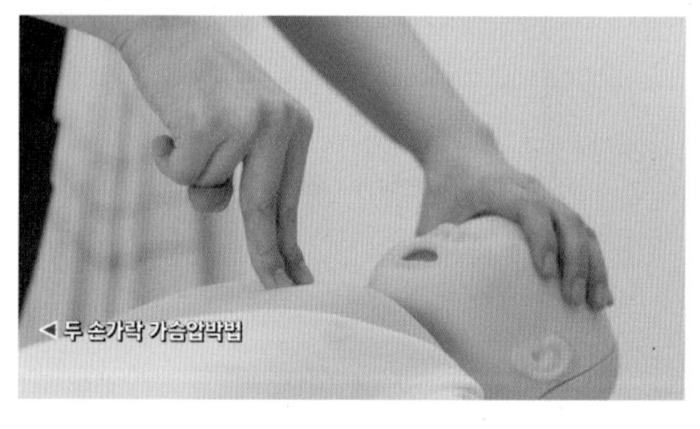

- '주목하세요': 교육생들이 동영상 시청에 집중하게 하고 개별적으로 실습하지 않도록 지도한다.
- '조별 실습': 조별로 강사의 지도하에 영아 1인 구조자 심폐소생술 실습시간을 갖는다. 심장정지 확인 및 신고부터 가슴 압박 30회와 인공호흡 2회를 총 5주기 실습한다(보고 따라하는 실습 없음).
- 과정의 디렉터가 조별 실습시간을 배정하고 전체 과정이 지연되지 않도록 관리한다.

2) 2인 구조자

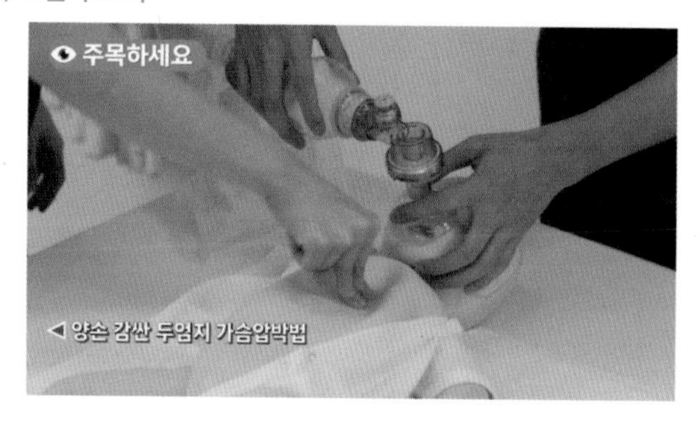

- '주목하세요': 교육생들이 동영상 시청에 집중하게 하고 개별적으로 실습하지 않도록 지도한다.
- '조별 실습': 조별로 강사의 지도하에 영아 1인 구조자 심폐소생술 실습시간을 갖는다. 심장정지 확인 및 신고부터 가슴 압박 15회와 인공호흡 2회를 총 10주기 실습한다(따라하는 실습 없음).
- 과정의 디렉터가 조별 실습시간을 배정하고 전체 과정이 지연되지 않도록 관리한다.

14. 이물질에 의한 기도폐쇄 동영상 강의

1) 성인

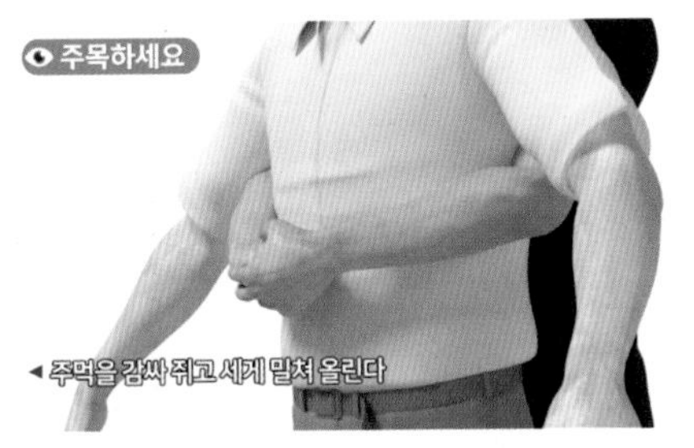

- 기도폐쇄 응급처치는 합병증 발생 가능성이 있기 때문에 실제로 실습하지 않고 자세만 연습함을 교육생에게 반드시 강조해야 한다.
- '주목하세요': 교육생들이 동영상 시청에 집중하게 하고 개별적으로 실습하지 않도록 지도한다.
- 기도폐쇄가 해결되지 않아서 의식을 잃고 쓰러질 경우의 응급처치, 심폐소생술 중 인공호흡 시 입안의 이물 확인, 무턱대고 손가락으로 훑어 내기 금지 등을 강조한다.

2) 영아

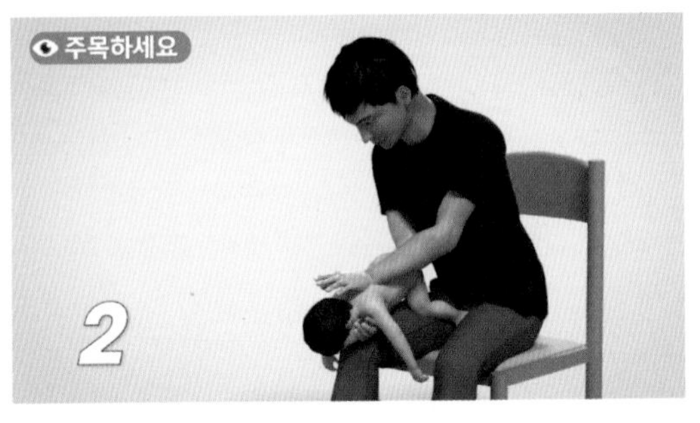

- '주목하세요': 교육생들이 동영상 시청에 집중하게 하고 개별적으로 실습하지 않도록 지도한다.
- '조별 실습': 조별로 강사의 지도하에 이물질에 의한 기도폐쇄 응급처치 실습시간을 갖는다. 성인은 자세 실습만 하고 영아는 마네킹 실습으로 진행한다(따라하기 실습 없음).
- 과정의 디렉터가 조별 실습시간을 배정하고 전체 과정이 지연되지 않도록 관리한다.

15. 생존사슬(Chain of survival) 동영상 강의

- 생존사슬, 심장정지 발생 예방을 위한 수칙, 병원 원내 응급팀의 활동 등에 대해 소개한다.

16. 평가

- 평가는 술기 시험과 필기 시험으로 구성되어 있다.
- 동영상 강의 이후에 별도의 시간을 배정하여 술기 평가와 필기 평가를 진행한다. 과정의 디렉터가 조별 평가 시간을 부여하고 전체 과정이 지연되지 않도록 관리한다.
- 평가는 대한심폐소생협회에 평가 규정을 지켜야 한다.

17. 과정 정리와 질의 응답

- 질의 응답 시간에 학습 과정 중 부족했던 내용을 보충한다.
- 학생들에게 기본소생술 이수증 발급 및 수령 방법에 대하여 안내한다.
- 기본소생술 교육의 이수증 유효기간에 대하여 설명하고 갱신 교육에 대하여 권장한다.

강사의 역할

기본소생술 강사

CHAPTER

1. 강사의 역할

- 교육생의 학습동기 유발: '왜 해야 하는가?'
- 교육과정 준비: 강사, 교육장, 음향, 교육 장비, 서류 등
- 교육생의 학습 촉진: 교육생 스스로 습득하는 교육
- 교육 환경의 관리: 물리적, 심리적 환경 조성
- 역할 모델(Role model): 교육생의 본보기 역할

2. 강사의 자질

- 전문적 지식과 책임감
- 효과적인 의사소통 기술
- 적절한 설명 기술
- 객관성 유지
- 강의 후 자기 점검과 반성

3. 전문가의 기초

1) 효과적인 의사소통

- 언어적 의사소통 요소를 고려해야 한다.
- 의사소통에는 전달을 위한 소리, 단어의 선택, 언어적 요소를 고려해야 한다.
- 의사소통은 대화와 발음 등 언어적 방법뿐만 아니라 몸짓, 표정, 눈맞춤, 거리 등 비언어적 요소들도 고려해야 한다.
- 좋은 의사소통을 위하여 표정, 억양, 단어, 내용, 자세, 몸짓, 상대와의 거리 등을 고려해야 한다.

2) 전문가적인 지식과 기술의 갱신과 향상

- 전문가는 지식과 기술을 향상을 위하여 새로운 내용을 학습해야 한다.
- 지식과 기술을 향상을 위한 단계
  ① 목록 작성
  ② 우선 순위 설정
  ③ 목표 설정
  ④ 다음 단계 규정
- 지속적인 교육을 통하여 평생 배움을 실천해야 한다.

3) 도덕 및 법률 준수와 전문가로서의 신뢰 구축

- 법이 정하는 규칙을 반드시 준수해야 하고 도덕적으로 올바른 태도를 나타내야 한다.
- 해당 분야에 대하여 깊이 있는 지식과 숙달된 기술을 가지고 있어야 한다.
- 전문가라고 해도 매번 지식에 대하여 완전할 수 없으므로, 만약 실수가 있다면 인정하고 고치려는 자세를 가져야 한다.

4. 교육환경 관리

1) 교육환경 관리의 의미

- 학습을 향상시키는 교육환경 관리
- 첨단기술의 적절한 사용을 통한 학습프로세스 관리

2) 교육장 관리

- 물리적 환경을 관리하여야 한다. 교육 관련 장비뿐만 아니라 여름철 냉방이나 겨울철 난방 같은 교육장 온도 관리도 고려해야 한다.

- 정서적 분위기도 관리해야 한다. 교육을 장려하고 긍정적인 태도를 취하여 학생들의 자발적 참여와 교육 효과 증대를 유도해야 한다.

3) 주의 환기

- 대화의 주제가 일관되도록 신경써야 한다.
- 교육에 초점을 맞춰 도움이 되는 질문을 유도해야 한다.
- 학생들이 강사들을 신뢰하고 의지하는 분위기를 만들 것을 권장한다.
- 분위기를 망치는 학생들을 관리해야 하고 이들에게는 개별적으로 설명하고 주의를 주는 것이 좋다.

4) 첨단기술의 적용

- 교육 효과를 향상시키는 다양한 첨단 기술을 적용할 수 있다.
- 표준적인 교육을 시행해야 하고 교육 효과를 높일 수 있는 부가적인 방법을 고민해야 한다.

5. 교육방법과 전략

1) 동기 유발

- 높은 교육 효과를 위하여 동기를 유발하는 것이 필요하다.
- 교육생들이 교육에 참여하게 된 배경이나 교육 시작전 상호 인사하고 소개하는 과정 중에 얻게된 정보를 적극 활용하여 동기부여 방법을 고민해야 한다.
- 이러한 동기 부여를 위하여 교육생의 경험을 발표하게 하고 적절한 사례를 선택하여 교육생들의 참여와 토론을 유도하는 것이 좋다.

2) 발표 기술

- 좋은 교육을 위하여 교육생에게 잘 전달되는 발표 기술을 연마해야 한다.
- 좋은 발표를 위한 권장되는 5P

  ① Posture - 적절한 자세를 취하는 것이 좋다.

  ② Pace - 말하는 속도를 적절하게 조절해야 한다.

  ③ Pause - 말을 강조하기 위하여 적절한 멈춤이 필요하다.

  ④ Pronounce - 명확한 발음을 유지하라.

  ⑤ Project - 모든 사람에게 관심을 주고 교육에 참여시켜라.

3) 교육의 촉진

- 주입식 교육보다는 학생 스스로 지식과 기술을 습득할 수 있도록 촉진시키는 것이 교육에 더 효과적이다.
- 교육의 촉진을 위하여 일단 학생들을 집중적으로 관찰하여 교육 습득 정도를 판단해야 한다.
- 교육의 몰입을 위하여 학생들에게 적절한 질문을 해야 한다.
- 교육의 촉진을 위하여 가능한 자유로운 분위기를 유도하고 강사가 많은 내용을 전달하는 것보다 학생들이 스스로 교육에 참여하도록 인도해야 한다.
- 복잡하고 자세히 설명하는 것보다 학생이 스스로 교육에 참여할 수 있게 하고, 강사는 주로 과정보다 결과만 수정해 주는 것이 좋다. 결과 수정을 통하여 학생들이 과정을 반복 학습하도록 유도한다.
- 말로 교육하는 것보다 실습을 통해 교육하는 것이 좋다.

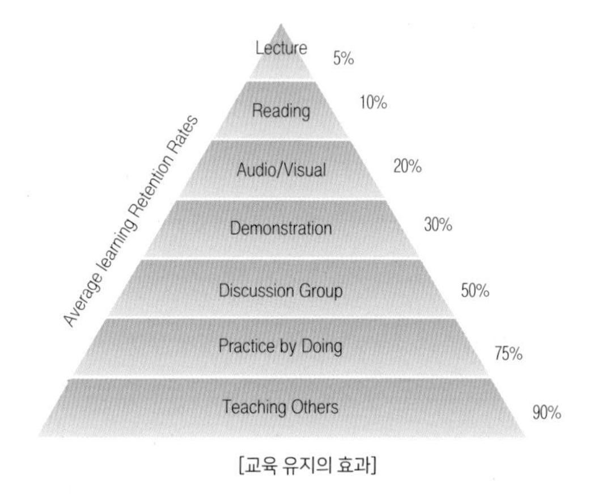

[교육 유지의 효과]

4) 질문과 듣기

- 교육 효과를 증대시키기 위한 좋은 질문
  ① 생각을 자극하고 새로운 아이디어를 생성시킨다.
  ② 생각하고 있는 것을 알아내고 분명히 해준다.
  ③ 이해를 촉진하고 관점을 변화시킨다.
  ④ 자신의 생각을 분명히 할 수 있다.
- 효과적인 질문 방법
  ① 알고 싶은 것이 무엇인지 밝힐 것
  ② 질문을 독점하지 말 것
  ③ 이야기 진행을 방해하지 않아야 하고 질문의 시기를 잘 고려할 것
  ④ 누구에게 무엇을 하는지 분명히 할 것
  ⑤ 6하 원칙에 따라 의문점을 강조하고 상대방의 사고를 자극할 수 있는 것
  ⑥ 구체적인 응답이 가능하고 간단명료할 것

6) Feedback

① 좋은 feedback의 조건은 '긍정적인 feedback'

② 부정적이기보다는 건설적인 태도로 평가

③ 판정만 내리지 말고 개선을 위한 정보를 제공

④ 사람을 평가하지 말고 술기에 대해서만 판단

⑤ 애매하고 모호한 설명보다는 구체적이고 명확한 설명

⑥ 현재 평가와 관련된 내용만 feedback

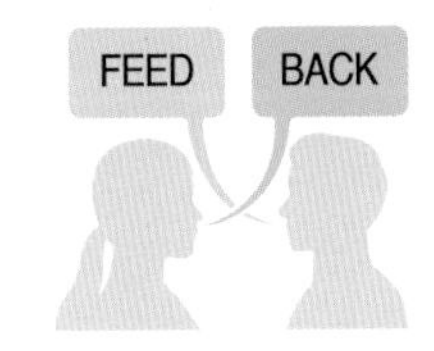

7) 지식과 술기 체득

- 효과적인 교육을 위하여 의미를 부여하고 지식을 전달한 후, 연습을 통하여 술기를 시행하는 것이 좋다.
- 이러한 과정은 술기 시행 후 다시 의미를 부여하는 과정으로 확장하면 효과가 더 좋아질 수 있다.

6. 평가의 원칙

1) 교육 과정의 평가에는 교육생 평가와 교육과정의 평가가 포함되어야 하고 재교육 과정을 고려해야 한다.

2) 교육은 강사가 시범을 보이고 학생이 실습을 시행한 후, 시험을 통하여 평가한다. 시험 결과에 대하여 부족한 부분을 보충하는 것이 필요하고, 필요하면 다시 시범 단계부터 교육을 강화해야 한다.

3) 교육생을 평가할 때는 공정하고 정확한 기준을 세우고 이 내용을

교육생에게 전달하여 학생들이 공감하도록 해야 하며, 공정하게 감독해야 한다. 시험 감독 중 학생들에게 개입해서는 안 된다.

4) 교육을 평가하기 위해서는 측정 가능한 기준을 세우고 적용해야 한다.